MW00331213

La tour Eiffel
en Italie

Des romans à lire à deux,
pour les premiers pas en lecture !

La collection Premières Lectures accompagne les enfants qui apprennent à lire. Chaque roman peut être lu à deux voix : l'enfant lit les bulles et un lecteur confirmé lit le reste de l'histoire.

Cette collection a trois niveaux :

JE DÉCHIFFRE les bulles peuvent être lues par l'enfant qui débute en lecture.

JE COMMENCE À LIRE les bulles peuvent être lues par l'enfant qui sait lire les mots simples.

JE LIS COMME UN GRAND les bulles peuvent être lues par l'enfant qui sait lire tous les mots.

Quand l'enfant sait lire seul, il peut lire les romans en entier, comme un grand !

Un concept original **+** des histoires simples **+** des sujets qui passionnent les enfants **+** des illustrations : **des romans parfaits pour débuter en lecture avec plaisir !**

Cette histoire a été testée par Francine Euli, enseignante, et des enfants de CP.

©2016 Éditions NATHAN, SEJER, 25 avenue Pierre-de-Coubertin, 75013 Paris
Loi n° 49-956 du 16 juillet 1949 sur les publications destinées à la jeunesse, modifiée par la loi n° 2011-525 du 17 mai 2011.
ISBN : 978-2-09-256410-3

La tour Eiffel en Italie

Texte de Mymi Doinet

Illustré par Mélanie Roubineau

Cette nuit, il gèle à Paris. Quel vent glacial! Même les bonshommes de neige grelottent. La tête dans les flocons, la tour Eiffel frissonne, elle aussi.

J'ai froid ici, cap sur l'Italie!

C'est parti! Direction l'aéroport d'Orly.
La tour Eiffel suit un avion décollant
pour Rome : il sera son guide !

Deux heures après, les voilà au-dessus de l'Italie. Soudain, une voix appelle la tour Eiffel sous les nuages. Qui est-ce ?

Reine des tours,
il me faut ton avis !

C'est la tour de Pise, qui penche un peu, beaucoup! Elle demande conseil à la demoiselle de fer:

Me trouves-tu ratée?

Tu es un petit peu bancale, mais ça ne te va pas si mal!

La tour Eiffel sourit.
Cela ne rassure pas la tour courbée,
elle boude…

La tour Eiffel ne voulait pas faire
de peine à sa nouvelle amie.

Viens te balader, promis,
ça te remontera le moral !

Dès qu'elles arrivent à Rome, elles vont saluer le Colisée. Le vieux monument s'inquiète aussitôt pour la tour de Pise.

À force de pencher, tes murs vont s'écrouler!

La tour courbée n'est pas d'accord : ses pierres sont solides !

Puis les deux amies filent vers
la fontaine de Trevi, où les touristes
font des vœux en lançant des pièces
dans l'eau.

Je rêve de défiler,
droite comme
un top modèle !

Faux! La tour de Pise tient debout
depuis huit cents ans, elle ne va pas
s'effondrer comme ça.

Ensuite, direction Naples pour un bon bain de mer. Mais l'eau est fraîche en février. Les deux baigneuses ressortent en courant plus vite que les vagues et le vent.

Et si les voyageuses participaient
au concours de la meilleure pizza ?
Hop ! La tour Eiffel fait tourner la pâte
sur sa flèche.

Devant leurs pizzerias,
les Napolitains l'encouragent :

La tour de Pise tente de l'imiter, et flop!
Sa pâte atterrit sur la tête d'un livreur.

18

Mais non, saperlipopette! Cette drôle
de casquette reste collée sur sa tête.

Après la mer, vive la montagne !

Montons
sur ce gros talus !

Oups! C'est le Vésuve. Cet énorme volcan endormi pourrait se réveiller. Les goélands préviennent la tour penchée :

Ne baisse pas trop ton front, sinon gare aux flammes du dragon !

Contrariée, la tour tordue finit
par perdre patience.

Ça suffit les bêtises,
je veux revenir à Pise !

Zut! La tour Eiffel n'a pas réussi
à faire rire son amie. Elle lui propose
une dernière balade, là où une grande
fête se prépare :

Allons à Venise,
la ville pleine
de surprises!

Chacun s'apprête à défiler costumé
pour le carnaval. La tour Eiffel réfléchit :
en quoi va-t-elle se déguiser ?

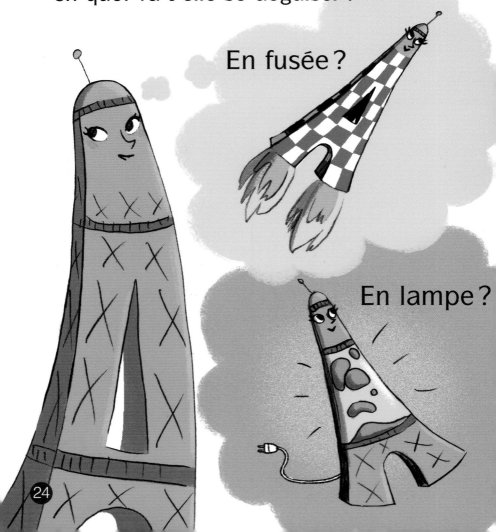

En fusée ?

En lampe ?

En girafe?

En sapin de Noël?

Non, pas du tout...

Sur la place Saint-Marc, la tour Eiffel défile dans un costume d'arlequin.
À ses côtés, sous sa panoplie de pièce montée, la tour de Pise se demande :

Que va-t-on pencher… euh, penser de moi ?

À cet instant, clap, clap, clap !

Les spectateurs les applaudissent.

Bravo, vous êtes les plus belles !

Dans sa robe de petits choux
toute chou, la tour de Pise rit.

Je me trouve jolie,
un peu, beaucoup,
à la folie !

La tour Eiffel est ravie.

Youpi ! Elle a gagné son pari.

Petite balade en Italie

La tour de Pise penche depuis toujours

Elle a été bâtie il y a plus de huit siècles
à Pise, ville de Toscane, une magnifique région.
Faisant partie de la cathédrale située juste à côté
et haute de 55 mètres, la tour abrite des cloches.
Construite sur un sol très humide qui s'enfonce,
elle a très vite penché.

Rome, une capitale aux bâtiments très anciens

Située au centre de l'Italie, cette ville compte
plusieurs monuments construits au temps
des Romains. On peut encore y admirer
le Colisée, un immense amphithéâtre,
édifice de forme ronde.

Le Vésuve, un volcan qui sommeille

Il est situé en face de la baie de Naples.
Sa dernière éruption date de 1944.
Près de deux siècles auparavant, en l'an 79,
le Vésuve a enseveli la ville de Pompéi.

Venise, la ville aux îles

Vue d'avion, Venise a la forme d'un gros poisson.
Elle compte près de 120 îles reliées entre elles
par plus de 430 ponts. Comme elle est entourée
d'eau, on s'y déplace en gondole afin de découvrir
ses superbes palais bâtis au Moyen Âge.
Des amoureux des quatre coins du monde
viennent s'y embrasser. Et chaque année,
au mois de février, s'y déroule son magnifique
carnaval.

Bravo! Tu as lu un livre en entier !
Tu as aimé cette histoire ?

Retrouve La tour Eiffel dans d'autres aventures !

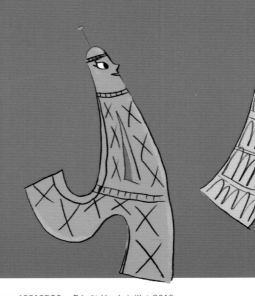

premières lectures

N° éditeur : 10216580 – Dépôt légal : juillet 2016
Achevé d'imprimer en juin 2016 par Pollina (85400 Luçon, France) - L77282